NO PRIMEIRO DIA DA CRIAÇÃO, DEUS CRIOU A LUZ E VIU QUE ERA MUITO BOA. ELE SEPAROU-A DA ESCURIDÃO. ENTÃO, CHAMOU A LUZ DE "DIA", E A ESCURIDÃO, DE "NOITE".

NO SEGUNDO DIA, DEUS SEPAROU AS ÁGUAS DO FIRMAMENTO, O QUAL ELE CHAMOU DE "CÉU". NO TERCEIRO, ORDENOU QUE AS ÁGUAS, CHAMADAS POR ELE DE "MARES", FICASSEM JUNTAS EM UM SÓ LUGAR E QUE APARECESSE UMA PORÇÃO SECA, A "TERRA".

AINDA NO TERCEIRO DIA, DEUS ORDENOU QUE A TERRA PRODUZISSE ERVA VERDE QUE DESSE SEMENTES, ALÉM DE ÁRVORES QUE DESSEM FRUTOS. E, ASSIM, A TERRA PRODUZIU ERVAS, SEMENTES E ÁRVORES FRUTÍFERAS.

NO QUARTO DIA, DEUS FEZ O SOL, PARA ILUMINAR O DIA, A LUA, PARA REGER A NOITE, E TAMBÉM CRIOU AS ESTRELAS. ELE COLOCOU ESSES ELEMENTOS NO CÉU PARA ILUMINAREM A TERRA, SEPARANDO O DIA E A NOITE.

NO QUINTO DIA, DEUS CRIOU TODOS OS ANIMAIS MARINHOS E TODAS AS AVES. ELE DISSE A ESSES ANIMAIS QUE SE MULTIPLICASSEM, POVOANDO AS ÁGUAS E A TERRA.

NO SEXTO DIA, DEUS CRIOU O GADO, OS RÉPTEIS E OS ANIMAIS SELVAGENS, PARA QUE VIVESSEM SOBRE A TERRA.

NESSE MESMO DIA, O SENHOR CRIOU O HOMEM, E O CHAMOU DE "ADÃO", PEDINDO QUE ELE DOMINASSE SOBRE OS ANIMAIS E TIVESSE AS ERVAS E OS FRUTOS COMO ALIMENTO.

PARA ADÃO NÃO FICAR SOZINHO, DEUS CRIOU A MULHER A PARTIR DA COSTELA DO HOMEM E CHAMOU-A DE "EVA". O SENHOR ABENÇOOU O CASAL, QUE PASSOU A VIVER NO JARDIM DO ÉDEN, EM HARMONIA.